Vegani
Giro del mondo XXL

Le migliori ricette da tutto il mondo

Lydia Solotova

Prefazione

Scoprite in esclusiva, in questo libro unico, 100 piatti vegani da diverse parti del mondo. Alcune di queste prelibatezze sono sempre state puramente vegetali, mentre altre sono state convertite in delizie vegane specificatamente per questo libro.

Nel creare queste ricette ho deliberatamente evitato di usare ingredienti esotici per garantirvi un'esperienza senza complicazioni nella preparazione.

I piatti sono volutamente semplici per cui... niente scuse, provate la cucina vegana.

Tuffatevi i un mondo di godimento, senza ingredienti complessi e con ricette facili da seguire. Vi auguro tanta gioia nell'esplorare e provare questa selezione di piatti vegani!

Buon appetito!

Sommario

Introduzione: informazioni sulle ricette

- I tempi di cottura specificati si basano sul mio forno. Si prega di notare che spesso possono esserci delle differenze
- Potreste dover impostare una temperatura superiore/inferiore, di 20 gradi C.
- Tutte le ricette possono essere modificate secondo i vostri desideri.
- Si consiglia l'acquisto di verdure biologiche.
- Lavate sempre le verdure. Non è specificato nelle ricette.
- Ovviamente potete usare ingredienti freschi anziché essiccati.
- Invece del burro vegano potete usare la margarina.
- Invece del lievito fresco in cubetti potete usare le bustine di lievito in polvere.
- Invece dello zucchero potete usare lo xilitolo o lo zucchero di canna.

Ricetta - Ingredienti di cui ogni vegano ha bisogno

- lievito nutrizionale
- Sale Kala Namak
- Sciroppo di agave

Abbreviazioni

- TK = congelato
- cucchiaino = cucchiaino
- cucchiaio = cucchiaio

Antipasti, insalate e colazione

Stimolante dell'appetito. Freschi stimoli e gioie mattutine: iniziate la vostra giornata con antipasti invitanti, insalate rinfrescanti e idee irresistibili per la colazione!

Insalata di carote (russa)

Ingredienti

1 kg di carote

1 spicchio d'aglio

1 cucchiaio di aceto

1 cucchiaino di sale

1 cucchiaino di zucchero

1 cipolla

100 ml di olio (di colza).

1 cucchiaino di sale

1 cucchiaino di coriandolo

Preparazione

Grattugiate le carote e mescolate con l'aceto.

Spremete lo spicchio d'aglio e tagliate la cipolla a pezzetti.

Scaldate l'olio in una pentola.

Aggiungete la cipolla e l'aglio e soffriggete a fuoco medio per 3 minuti.

Versate il contenuto della pentola sulle carote e mescolate con il resto degli ingredienti.

Lasciate in infusione per 15 minuti prima di servire.

Insalata di cous cous (marocchina)

Ingredienti

100 g di cous cous

1/2 barattolo di ceci (sciacquati)

1 peperone rosso tagliato a dadini

2 cucchiai di prezzemolo tritato tagliate a dadini

180 ml di brodo vegetale

2 cucchiai di menta tritata

1/2 cetriolo tagliato a dadini

2 cucchiai di albicocche secche, 1 cucchiaio di succo di limone

2 cucchiai di mandorle tostate tritate grossolanamente

Per il condimento:

2 cucchiai di olio d'oliva

½ cucchiaino di sciroppo d'agave

½ cucchiaino di cumino macinato

Sale e pepe a piacere

Preparazione

Versate il brodo vegetale bollente sul cous cous, coprite e lasciare macerare per 10 minuti.

Mescolate il condimento a base di olio d'oliva, succo di limone, cumino, sciroppo d'agave, sale e pepe. Sgonfiate il cous cous e lasciate raffreddare.

Aggiungete i ceci, i peperoni, il cetriolo, le albicocche, la menta, il prezzemolo e le mandorle. Versate il condimento sull'insalata e mescolate con cura. Fate raffreddare in frigorifero prima di servire, eventualmente guarnite con menta fresca e prezzemolo.

Porridge di farina d'avena (svedese)

Ingredienti

100 g di fiocchi d'avena

500 ml latte di mandorla (o altro latte vegetale a vostra scelta)

Bacche fresche o frutta a piacere

Noci tritate (o mandorle)

Sciroppo d'acero o sciroppo d'agave per addolcire (facoltativo)

Un pizzico di sale

Preparazione

Mescolate in un pentolino i fiocchi d'avena, il latte di mandorle e un pizzico di sale.

Mettete la pentola a fuoco medio e portate a ebollizione la miscela.

Una volta che il porridge bolle, abbassate la fiamma e fate sobbollire il composto, mescolando di tanto in tanto, fino a quando l'avena sarà morbida e di consistenza cremosa (di solito circa 5-7 minuti).

Togliete la polenta dal fuoco e lasciate riposare brevemente. Se necessario, addolcite con sciroppo d'acero o sciroppo d'agave.

Versate il porridge nelle ciotole e guarnite con frutti di bosco freschi o con la vostra frutta preferita. Cospargete il porridge di noci tritate per aggiungere una piacevole croccantezza.

Frittata di borscht (ucraino)

Ingredienti

120 g di farina di ceci

120 ml di succo di barbabietola

Funghi misti a piacere

Erbe fresche per guarnire

Preparazione

Mescolate la farina di ceci con il succo di barbabietola.

Fate soffriggere i funghi in una padella e versateci sopra il composto di ceci.

Friggete fino a doratura e guarnite con erbe fresche.

Insalata di bulgur "Tabouleh" (Libano)

Ingredienti

150 g di bulgur

2 pomodori grandi, tagliati a dadini

1 mazzetto di prezzemolo fresco, tritato finemente

½ cetriolo tagliato a dadini

½ mazzetto di menta fresca,

succo di 2 limoni tritato finemente

3 cucchiai di olio d'oliva

sale e pepe

Preparazione

Cuocete il bulgur secondo le istruzioni sulla confezione e lasciate raffreddare.

Mettete i pomodori, il prezzemolo, la menta e il cetriolo in una ciotola capiente.

Aggiungete il bulgur raffreddato.

Versate sopra il succo di limone e l'olio d'oliva, mescolate bene.

Condite con sale e pepe.

Lasciate riposare in frigo per almeno 15 minuti prima di servire.

Bruschetta con avocado (Italia)

Ingredienti

Baguette,

2 pomodori,

Basilico fresco condire

Sale e pepe a piacere

2 avocado maturi a fette, purè

2 dadi d'aglio, tritati

3 cucchiai di olio d'oliva, per

Preparazione

Tostate leggermente le fette di baguette.

Distribuite l'avocado sulle fette arrostite.

Guarnite con pomodorini a dadini, aglio e basilico.

Condite con olio d'oliva, sale e pepe.

Frullato verde (Stati Uniti)

Ingredienti (2 porzioni)

1 banana

1 mela

300 ml di acqua

150 g di spinaci novelli surgelati (se freschi aggiungere

50 g di cubetti di ghiaccio)

Preparazione

Togliete il torsolo alla mela.

Frullate tutti gli ingredienti in un frullatore o in una ciotola capiente con un frullatore a immersione.

Versate nei bicchieri e servite.

Naturalmente questa ricetta base può essere modificata.

Se necessario, aggiungete i lamponi.

Un frullato può anche essere molto denso, in realtà dovrebbe avere la consistenza dello yogurt.

Müsli Bircher (Svizzera)

Ingredienti (2 porzioni)

50 g fiocchi d'avena

60 g latte vegetale (a piacere)

Succo di un limone

60 g acqua

3 mele

20 g di noci

Preparazione

Mescolate i fiocchi d'avena con acqua e lasciateli in ammollo per una notte.

Aggiungete il latte vegetale e il succo di limone.

Grattugiate finemente o mescolate mele e noci e incorporatele.

Masala Dosa (indiano)

Ingredienti

250 g di pastella dosa (pastella di riso e urdal)

300 g di patate lesse, tagliate a cubetti e condite con cumino e curcuma

150 g di mostarda di pomodoro

Chutney di cocco da 150 g

Foglie di coriandolo fresco

Preparazione

Stendete una dose di pastella su una padella e friggete fino a doratura.

Disponete le patate condite su un lato del composto e girate.

Servite con chutney di pomodoro, chutney di cocco e foglie di coriandolo fresco.

Shakshuka (marocchina)

Ingredienti

400 g di pomodori, a dadini

150 g di cipolle tritate

200 g di ceci cotti

2 cucchiai di olio d'oliva

Pane pita per servire

200 g di peperoni, a dadini

2 cucchiaini di spezie harissa

1 cucchiaino di Ras el Hanout

40 g di farina di ceci

Preparazione

Scaldate l'olio d'oliva in una padella.

Aggiungete cipolle, peperoni e pomodori e fate rosolare a fuoco medio.

Mescolate il condimento di harissa e ras el hanout.

Incorporate i ceci cotti e mescolate bene il tutto.

Mescolate la farina di ceci con l'acqua fino a ottenere la consistenza dell'uovo, creando nel composto dei piccoli fori per le "uova".

Coprite la padella e cuocete in camicia le "uova" vegane fino a raggiungere la consistenza desiderata.

Condite con sale e pepe.

Servite con pane pita e buon appetito.

Pastéis de nata di patate dolci (Portogallo)

Ingredienti

1 confezione (ca. 230 g) di pasta sfoglia (vegana)

400 g di patate dolci, sbucciate e tagliate a cubetti

240 ml di latte di cocco   100 g di zucchero

1 cucchiaino di estratto di vaniglia   e cannella per spolverare

Preparazione

Stendete la pasta sfoglia negli stampini da muffin e preriscaldate il forno a 200 gradi.

Lessate i cubetti di patate dolci in acqua fino a renderli morbidi. Scolate e riducete in purea.

Aggiungete il latte di cocco, lo zucchero e l'estratto di vaniglia alla purea di patate dolci e mescolate bene.

Riempite gli stampini di pasta sfoglia con il composto di patate dolci.

Cuocete nel forno preriscaldato per 15-20 minuti fino a quando l'impasto sarà dorato.

Spolverizzate con la cannella e fate raffreddare prima di servire.

Zuppe

Piacevoli risvegli e riempitivi rinfrescanti di cui innamorarsi: iniziate la giornata con deliziose zuppe in una varietà puramente vegetale!

Zuppa di pomodoro (Italia)

Ingredienti

400 g di pomodorini a pezzetti (o freschi ovviamente)

250 ml di brodo vegetale   1 cipolla tritata finemente

1 spicchio d'aglio, schiacciato   ½ mazzetto di basilico

2 pizzichi di peperoncino   2 pizzichi di pepe

125 g di pane bianco, tagliato a cubetti   2 cucchiai di olio d'oliva

Preparazione

Scaldate l'olio in una pentola e soffriggete la cipolla e l'aglio fino a renderli traslucidi.

Aggiungete al brodo vegetale i pomodori, il peperoncino, il sale e il pepe e portate a ebollizione.

Cuocete a fuoco medio per 15 minuti.

Aggiungete i cubetti di pane bianco e il basilico e cuocete a fuoco medio per altri 10 minuti.

Mescolate la zuppa e togliete dal fuoco.

Lasciate in infusione per 45 minuti e scaldate nuovamente prima di mangiare.

Servite in piatti fondi cosparsi di olio d'oliva.

Zuppa di arachidi "Mafé" (Senegal/Mali)

Ingredienti

200 g di burro di arachidi

1 lattina di pomodori a pezzetti (400 g)

1 cipolla grande, tritata

1 patata dolce, a cubetti

1 tazza di gombo, affettato

1 litro di brodo vegetale

1 cucchiaino di paprika in polvere,

2 spicchi d'aglio, tritati

1 melanzana, a cubetti

1 cucchiaino di cumino

sale e pepe

2 cucchiai di olio vegetale

Preparazione

Versate l'olio in una padella e fate soffriggere la cipolla con l'aglio.

Aggiungete il burro di arachidi e mescolate bene.

Aggiungete verdure, pomodori e spezie.

Bagnate con brodo vegetale e cuocete a fuoco lento per 30-40 minuti fino a quando le verdure saranno morbide.

Zuppa di verdure francese "Pistou"

Ingredienti

100 g di tagliatelle cave corte

1 lattina di pomodori a pezzetti

100 g di fagiolini, tagliati a 1 cm di lunghezza

100 g di verza, tagliata a listarelle sottili

1 cipolla tritata finemente

2 cucchiai di concentrato di pomodoro

2 cucchiai di olio (di colza).

1 litro di brodo vegetale

1 carota a dadini

1 zucchina tagliata a dadini

sale e pepe

Preparazione

Scaldate l'olio in una pentola e fate rosolare la cipolla.

Aggiungete la verza e i fagiolini e fateli rosolare brevemente.

Incorporate il concentrato di pomodoro e sfumate con brodo vegetale e pomodorini a pezzetti.

Aggiungete le tagliatelle e cuocete a fuoco lento per 10 minuti, mescolando di tanto in tanto.

Aggiungete le zucchine e fate cuocere per altri 5 minuti.

Condite con sale e pepe.

Vellutata di zucca (Austria)

Ingredienti

800 g di zucca Hokkaido, tagliata a dadini 1 cipolla, tritata

2 patate, sbucciate e tagliate a cubetti 1 carota, tagliata a cubetti

1 spicchio d'aglio tritato 1 litro di brodo vegetale

200 ml di panna da cucina vegetale 2 cucchiai di olio di semi di zucca

Sale e pepe a piacere pane bianco

1 cucchiaino di cumino (facoltativo)

Preparazione

Soffriggete la cipolla e l'aglio in un filo d'olio in una pentola capiente fino a quando diventano traslucidi.

Aggiungete la zucca, le patate e la carota e fate rosolare brevemente.

Bagnate con brodo vegetale e portate a ebollizione. Quindi abbassate la fiamma e cuocete a fuoco lento fino a quando le verdure saranno morbide.

Frullate la zuppa con un frullatore a immersione fino a renderla cremosa.

Incorporate la panna da cucina vegetale e condite con sale, pepe e, facoltativamente, cumino.

Prima di servire guarnite con un filo di olio di semi di zucca e servite con pane bianco.

Zuppa di lenticchie "Mercimek Çorbası" (Türkiye)

Ingredienti

200 g di lenticchie rosse, lavate e scolate

1 cipolla tritata finemente

1 carota tagliata a dadini

1 patata tagliata a dadini

1 cucchiaino di cumino

3 cucchiai di concentrato di pomodoro

1 cucchiaino di paprika in polvere

3 cucchiai di olio d'oliva

1,5 litri di brodo vegetale

Salare e pepare

le fette di limone per servire

Prezzemolo fresco per guarnire

Preparazione

Scaldate l'olio in una pentola capiente e rosolare la cipolla tritata fino a renderla traslucida. Aggiungete le carote e le patate e fate rosolare brevemente. Aggiungete il concentrato di pomodoro, la paprika in polvere e il cumino. Amalgamate bene il tutto e lasciate cuocere per circa 2 minuti.

Aggiungete le lenticchie lavate e bagnate con brodo vegetale o acqua.

Portate a ebollizione la zuppa e poi abbassate la fiamma. Cuocete a fuoco lento per circa 20-25 minuti fino a quando le lenticchie e le verdure saranno morbide. Frullate la zuppa fino a raggiungere una consistenza cremosa. Condite con sale e pepe.

Servite con fettine di limone e prezzemolo fresco.

Gazpacho spagnolo (zuppa fredda)

Ingredienti

6 pomodori maturi, tagliati
a dadini 1 cetriolo, sbucciato e tagliato a dadini
1 peperone rosso, privato dei semi e tagliato a dadini
1 cipolla piccola, tagliata grossolanamente

2 spicchi d'aglio tritati   4 tazze di succo di pomodoro

4 cucchiai di olio d'oliva   2 cucchiai di aceto di vino bianco

2 fette di pane raffermo tagliate a cubetti

Sale e pepe a piacere

Foglie di basilico fresco per guarnire

Preparazione

Mettete i pomodori, il cetriolo, i peperoni, la cipolla e l'aglio in un frullatore.

Aggiungete il succo di pomodoro, l'olio d'oliva e l'aceto di vino bianco.

Aggiungete al composto il pane raffermo e frullate il tutto fino a ottenere una zuppa cremosa. Condite il gazpacho con sale e pepe.

Fate raffreddare la zuppa in frigorifero per almeno 2 ore per consentire ai sapori di svilupparsi.

Decorate con basilico fresco prima di servire.

Servite freddo e buon appetito. A scelta condire con un filo d'olio d'oliva.

Zuppa di patate (Germania)

Ingredienti

500 g di patate, sbucciate e tagliate a cubetti

2 carote, tagliate a dadini   1 cipolla, tritata

2 spicchi d'aglio tritati   1 costa di sedano tagliata a dadini

1 porro tagliato ad anelli   1 litro di brodo vegetale

250 ml di panna da cucina vegetale   2 cucchiai di olio vegetale

1 foglia di alloro   1 cucchiaino di timo

Sale e pepe a piacere   Prezzemolo fresco per guarnire

Preparazione

Scaldate l'olio in una pentola capiente e fate rosolare la cipolla con l'aglio fino a renderla traslucida. Aggiungete carote, sedano e porri. Fate rosolare brevemente fino a quando le verdure saranno leggermente dorate. Aggiungete le patate e sfumate con il brodo vegetale. Aggiungete la foglia di alloro, il timo, il sale e il pepe. Portate a ebollizione la zuppa e poi abbassate la fiamma.

Cuocete a fuoco lento la zuppa per 20-25 minuti fino a quando le verdure saranno morbide. Unite la panna da cucina vegetale e portate brevemente ad ebollizione.

Togliete la foglia di alloro e frullate la zuppa fino a ottenere una crema con un frullatore a immersione. Condite con sale e pepe.

Guarnite con prezzemolo fresco e servite.

Zuppa Baingan Bharta (India)

Ingredienti

1 melanzana grande (ca. 400 g)

1 cipolla tritata

1 cucchiaino di zenzero, grattugiato

1 cucchiaino di garam masala

1 cucchiaino di paprika in polvere

2 cucchiai di olio vegetale

Foglie di coriandolo fresco per guarnire

2 pomodori a dadini

2 spicchi d'aglio tritati

1 cucchiaino di cumino

1 cucchiaino di curcuma

1 litro di brodo vegetale

sale e pepe

Preparazione

Arrostite le melanzane, eliminate la pelle e tritate grossolanamente la polpa.

Soffriggete nell'olio la cipolla, l'aglio e lo zenzero.

Aggiungete le spezie e arrostite brevemente.

Aggiungete i pomodori fino a renderli morbidi.

Aggiungete la polpa di melanzane tritata e mescolate.

Bagnate con brodo vegetale e cuocete a fuoco lento per 15-20 minuti.

Condite con sale e pepe.

Guarnite con coriandolo fresco prima di servire.

Zuppa di fagioli alla greca "Fassolada"

Ingredienti

250 g di fagioli bianchi secchi (precedentemente ammollati e cotti)

1 cipolla tritata	2 carote tagliate a dadini
2 gambi di sedano, tagliati a dadini	3 pomodori, tagliati a dadini
3 spicchi d'aglio,	1 foglia di alloro tritata
2 cucchiai di concentrato di pomodoro	3 cucchiai di olio d'oliva
1 cucchiaino di origano secco	sale e pepe
1 litro di brodo vegetale	Prezzemolo fresco per guarnire

Preparazione

Scolate i fagioli ammollati e cotti.

Scaldate l'olio d'oliva in una pentola capiente e rosolate la cipolla, il sedano e le carote fino a renderli morbidi.

Aggiungete l'aglio e continuate a soffriggere brevemente.

Aggiungete i pomodori tagliati a dadini e il concentrato di pomodoro e continuate la cottura finché i pomodori non si saranno sfaldati.

Aggiungete i fagioli scolati, l'alloro e l'origano.

Bagnate con brodo vegetale e portate a bollore.

Riducete il fuoco e cuocete a fuoco lento finché i fagioli e le verdure non saranno teneri, circa 30-40 minuti. Condite con sale e pepe e servite guarnendo con prezzemolo fresco.

Borsch (Russia)

Ingredienti

250 g di barbabietola rossa, sbucciata e tagliata a cubetti

1 patata (ca. 150 g), tagliata a cubetti

1 cipolla tritata	1 carota tagliata a dadini

1/2 cavolo cappuccio bianco, tritato finemente

2 pomodori, tagliati a dadini	1 cucchiaino di aceto
1 spicchio d'aglio tritato	1 litro di brodo vegetale
2 cucchiai di concentrato di pomodoro	2 cucchiai di olio vegetale
2 foglie di alloro	Sale e pepe a piacere
Prezzemolo fresco per guarnire	Panna acida vegana (facoltativa)

Preparazione

Scaldate l'olio in una pentola e rosolate la cipolla e l'aglio fino a renderli traslucidi. Aggiungete la barbabietola rossa, le patate, le carote, il cavolo bianco e i pomodori e fate rosolare brevemente.

Sfumate con brodo vegetale, aggiungete le foglie di alloro e portate a bollore.

Riducete il fuoco, aggiungete il concentrato di pomodoro e l'aceto. Cuocete a fuoco lento la zuppa per 20-25 minuti fino a quando le verdure saranno morbide. Condite con sale e pepe.

Guarnite con prezzemolo fresco prima di servire.

Servite con una cucchiaiata di panna acida vegana se lo desiderate.

Erwtensoep (Paesi Bassi)

Ingredienti

250 g di piselli secchi, ammollati per una notte

1 cipolla, tritata	2 patate, tagliate a dadini (300 g)
2 carote, a dadini (ca. 200 g)	1 costa di sedano, a dadini
1 porro tagliato ad anelli	2 spicchi d'aglio tritati
2 foglie di alloro	1 cucchiaino di timo
1 cucchiaino di maggiorana	2 litri di brodo vegetale
Sale e pepe a piacere	Prezzemolo fresco per guarnire

Preparazione

Sciacquate e scolate i piselli ammollati.

In una pentola capiente, fate rosolare la cipolla e l'aglio in un filo d'olio fino a quando saranno traslucidi. Aggiungete le patate, le carote, il sedano e il porro e fate rosolare brevemente.

Aggiungete i piselli ammollati, l'alloro, il timo, la maggiorana e il brodo vegetale.

Portate a ebollizione e poi abbassate la fiamma. Cuocete a fuoco lento la zuppa per circa 1,5 ore fino a quando i piselli e le verdure saranno morbidi.

Eliminate le foglie di alloro e frullate una parte della zuppa con un frullatore a immersione per ottenere una consistenza più densa.

Condite con sale e pepe. Servite guarnito con prezzemolo fresco.

Piatti principali

Risvegli culinari e prelibatezze che vi faranno battere
forte il cuore: iniziate la giornata con piatti delicati,
una varietà di delizie puramente vegetali!

Ciotola di tofu King Pao (Cina)

Ingredienti

200 g di tofu sodo, tagliato a dadini

1 cucchiaio di aceto di riso

1 cucchiaio di amido di mais

2 spicchi d'aglio tritati

1 cucchiaino di zenzero fresco grattugiato

1 peperone rosso, tagliato a dadini

1 peperone giallo, tagliato a dadini

1 tazza di cimette di broccoli

½ tazza di arachidi non salate

Cipolline tagliate ad anelli, per guarnire

Riso basmati cotto o quinoa, come contorno

Per la salsa:

3 cucchiai di salsa di soia

2 cucchiai di aceto di riso

1 cucchiaio di sciroppo d'agave

1 cucchiaino di amido di mais

1 cucchiaino di Sriracha (opzionale per piccantezza)

2 cucchiai di salsa di soia

1 cucchiaio di sciroppo d'agave

2 cucchiai di olio di arachidi

Preparazione

Marinate i cubetti di tofu in salsa di soia, aceto di riso, sciroppo d'acero e amido di mais, lasciate riposare per almeno 15 minuti.

Scaldate l'olio di arachidi in una padella, friggete i cubetti di tofu fino a doratura, quindi mettete da parte.

Soffriggete l'aglio e lo zenzero in una padella fino a quando diventano fragranti, aggiungete rapidamente i peperoni, i broccoli e le arachidi fino a quando le verdure saranno croccanti.

Aggiungete i cubetti di tofu marinato nella padella. Mescolate la salsa di soia, aceto di riso, sciroppo d'acero, amido di mais e, facoltativamente, Sriracha, versate sopra il composto di tofu e verdure e mescolate bene. Togliete la padella dal fuoco quando la salsa si sarà addensata. Guarnite con cipolline e servite su riso basmati cotto o quinoa.

Moussaka di verdure (Grecia)

Ingredienti

2 melanzane

4 patate

3 spicchi d'aglio

125 g di concentrato di pomodoro

1 cucchiaino di timo secco

1 cucchiaino di paprika in polvere

480 ml latte di soia

Un pizzico di noce moscata,

2 zucchine

1 cipolla

400 g di pomodori a cubetti

1 cucchiaino di origano secco

60 g di pangrattato

60 ml di olio d'oliva

30 g farina

sale e pepe

Preparazione

Tagliate le melanzane, le zucchine e le patate a fettine sottili.

Friggete le melanzane e scolatele su carta da cucina.

Cuocete le patate, scolte e mettetele da parte.

Friggete la cipolla e l'aglio nell'olio d'oliva, aggiungete i pomodori, il concentrato di pomodoro, le spezie e cuocete a fuoco lento per 15 minuti.

Mescolate in un pentolino il latte di soia, la farina, la noce moscata e lasciate addensare. Ungete la pirofila, versate a strati le patate, le melanzane, le zucchine e la salsa di pomodoro.

Versateci sopra la besciamella e spolverizzate con il pangrattato.

Infornate a 180 gradi per 45-50 minuti.

Lasciate raffreddare e tagliate a pezzetti prima di servire.

Nasi Goreng (Indonesia)

Ingredienti

300 g di riso cotto (preferibilmente freddo e del giorno prima)

200 g di verdure (piselli, carote, cipolline), a dadini

150 g di tofu fritto, tagliato a   dadini 2 spicchi d'aglio, tritati

2 cucchiai di salsa di soia

1 cucchiaino di sambal oelek (pasta di peperoncino)

1 cucchiaio di Kecap Manis (salsa di soia dolce)

2 cucchiai di olio vegetale   Sale e pepe a piacere

Foglie di coriandolo fresco per guarnire

Preparazione

Scaldate l'olio in una padella. Soffriggete l'aglio finché non è fragrante.

Aggiungete le verdure e fatele rosolare un po' fino a renderle leggermente morbide. Aggiungete il tofu e mescolate.

Aggiungete il riso cotto nella padella e mescolate bene con gli altri ingredienti.

Aggiungete la salsa di soia, il kecap manis e il sambal oelek. Mescolate tutto bene.

Se necessario, aggiungete sale e pepe a piacere.

Servite nei piatti e guarnite con foglie di coriandolo fresco.

Chop Suey (Cina)

Ingredienti

2 peperoni

150 g di cavolfiore

100 g broccoli

3 carote

1 cipolla

100 g di funghi

½ bicchiere di germogli di soia

6 mini pannocchie di mais

200 ml di acqua

100 ml di salsa di soia

2 cucchiai di zucchero

½ cucchiaino di zenzero

1 cucchiaino di paprika

3 cucchiai di olio (di sesamo) per friggere

Contorno: riso

Preparazione

Tagliate le verdure (peperoni, funghi, cipolla, cavolfiore, broccoli e carote) a pezzetti. Scolate i germogli di soia.

Tagliate a metà le mini pannocchie di mais nel senso della lunghezza e in senso trasversale. Lasciate macerare il cavolfiore e i broccoli in acqua calda.

Portate a ebollizione in una pentola 150 ml di acqua, salsa di soia, zucchero, zenzero e paprika in polvere.

Sciogliete l'amido in 50 ml di acqua e aggiungetelo lentamente alla salsa. Portate brevemente a ebollizione, quindi cuocete a fuoco basso.

Scaldate l'olio in una padella. Friggete prima le carote, dopo 2 minuti aggiungete peperoni, funghi, cavolfiore e broccoli.

Dopo altri 2 minuti aggiungete le mini pannocchie di mais e i germogli di soia e fateli rosolare brevemente.

Mescolate le verdure con la salsa e fatele cuocere brevemente a fuoco basso (le verdure dovranno essere ancora al dente).

Servite su piatti caldi con riso.

Chili sin carne (Messico)

Ingredienti

120 g di granuli di soia

500 ml di brodo vegetale

400 g di pomodori a pezzetti

1 peperone

1 lattina di fagioli rossi (peso sgocciolato 240 g)

1 lattina di mais

1 cipolla

2 spicchi d'aglio

3 pizzichi di sale

2 cucchiai di concentrato di pomodoro

1 cucchiaino di peperoncino in polvere

3 pizzichi di pepe

Opzionale 100 g di panna di soia

1 pezzo di cioccolato fondente vegano

2 cucchiai di olio (di colza) per friggere

Contorno: tortilla chips vegane

Preparazione

Mettete a bagno i granuli di soia nel brodo vegetale caldo, e scolateli bene. Conservate il liquido di cottura.

Tagliate a dadini la cipolla, private dei semi i peperoni e tagliate anche questi a dadini.

Spremete l'aglio, scolate i fagioli rossi e il mais. Scaldate l'olio in una pentola capiente.

Soffriggete i granuli di soia, la cipolla e i peperoni a fuoco medio per 5 minuti.

Aggiungete i pomodori, il concentrato di pomodoro, l'aglio, il peperoncino in polvere, sale e pepe e cuocete a fuoco lento per 15 minuti.

Aggiungete i fagioli, il mais e il cioccolato, cuocete a fuoco lento per altri 5 minuti.

Se necessario, rabboccate il peperoncino con il liquido di cottura messo da parte e portate nuovamente a bollore.

A piacere aggiungete la panna di soia, portate a ebollizione e lasciate cuocere a fuoco basso per 3 minuti. Servite con tortilla chips.

Il peperoncino sviluppa al meglio il suo sapore se lasciato in infusione per un giorno e poi riscaldato prima di essere servito.

Spaghetti Napoli (Italia)

Ingredienti

500 g di spaghetti (senza uovo)

2 barattoli di passata di pomodoro

1 mazzetto di basilico

2 pizzichi di pepe

5 litri di acqua

2 spicchi d'aglio

1 cipolla

80 ml di olio d'oliva

2 cucchiai di sale

Lievito in scaglie facoltativo

Preparazione

Portate a ebollizione 5 litri di acqua in una pentola capiente. Aggiungete 2 cucchiai di sale. Cuocete gli spaghetti secondo le istruzioni sulla confezione (6-8 minuti) a fuoco medio.

Nel frattempo tritate la cipolla e spremete l'aglio. Scaldate l'olio in una padella profonda.

Friggete le cipolle e l'aglio finché non diventano traslucidi.

Aggiungete i pomodori e cuocete a fuoco medio per 10 minuti mescolando.

Aggiungete sale, pepe e olio. Tagliate le foglie di basilico a pezzetti e unitele alla salsa.

Quando gli spaghetti saranno al dente, scolateli e aggiungeteli al sugo. Condite a piacere. Utilizzate il lievito in scaglie come sostituto del parmigiano.

Paella (Spagna)

Ingredienti

200 g riso basmati

80 ml di vino bianco

2 spicchi d'aglio

100 g di fagiolini

80 ml (olio d'oliva

1 cucchiaino di paprika in polvere

1 pizzico di peperoncino in polvere

limone per decorare.

500 ml brodo vegetale

1 cipolla

2 peperoni (colore a scelta)

100 g di piselli

1 pizzico di rosmarino

2 pizzichi di cannella

1 cucchiaino di succo di limone

1 cucchiaino di sale   ½

Preparazione

Spremete l'aglio, trita la cipolla, i fagioli e i peperoni a pezzetti.

Scaldate l'olio in una padella larga e fate soffriggere gli spicchi d'aglio con la cipolla e il pepe a fuoco medio per 3 minuti.

Unite il riso non lavato e fate rosolare per altri 2 minuti. Aggiungete il brodo vegetale, il vino bianco, il succo di limone e la cannella e fate cuocere a fuoco basso per 15 minuti. Aggiungete i fagioli e i piselli e lasciate cuocere a fuoco basso per altri 15 minuti.

Mescolate sale, peperoncino in polvere, rosmarino e paprika in polvere.

Guarnite con fette di limone su piatti preriscaldati.

Stufato di fagioli (africani)

Ingredienti

250 g di piselli secchi, ammollati per una notte

1 lattina di fagioli rossi	2 cipolle
5 pomodori	3 spicchi d'aglio
1 cucchiaio di burro di arachidi	2 cucchiaini di sambal oelek
1 cucchiaino di cumino	1 pizzico di sale
Olio (di colza) per friggere,	prezzemolo per spolverare

Contorno: riso

Preparazione

Scolate i fagioli rossi e lavateli accuratamente.

Tritate finemente la cipolla, spremete gli spicchi d'aglio e tagliate i pomodori a cubetti.

Scaldate l'olio in una pentola e rosolate la cipolla fino a renderla traslucida. Aggiungete i pomodori e cuocete a fuoco medio per 5 minuti.

Aggiungete l'aglio, il sale, il sambal oelek, i fagioli rossi e il cumino. Aggiungete il burro di arachidi e portate brevemente ad ebollizione.

Cuocete a fuoco medio per 3 minuti.

Servite con riso e spolverate con un po' di prezzemolo.

Riso indiano speziato

Ingredienti

350 g di riso basmati

1 cucchiaino di zenzero

1 cucchiaino di cardamomo

1 cucchiaio di prezzemolo

800 ml di acqua

4 cucchiai di olio (di colza) per friggere

1 cucchiaino di peperoncino

1 cucchiaino di cannella

1 cucchiaino di coriandolo

½ cucchiaino di cumino

3 pizzichi di sale

Preparazione

Scaldate 2 cucchiai di olio in una pentola, aggiungete il riso lavato.

Friggete il riso finché non diventa traslucido, mescolando continuamente.

Aggiungete tutti gli ingredienti tranne il restante olio e il prezzemolo. Portate a ebollizione e poi cuocete a fuoco lento con il coperchio e al minimo per 20 minuti.

Togliete il coperchio, spegnete il fornello.

Dopo 2 minuti, aggiungete l'olio rimanente e il prezzemolo.

Servite in piatti caldi.

Grönsaksbullar (Svezia)

Ingredienti

200 g di verdure miste (carote, piselli, mais), tagliate a cubetti fini

200 g di patate, cotte e schiacciate

1 cipolla tritata finemente

Sale e pepe qb

2 cucchiai di olio vegetale (per friggere)

Per la salsa alla senape e all'aneto:

sale e pepe tritati finemente

150 g di fiocchi d'avena

2 cucchiai di salsa di soia

1 cucchiaio di senape di Digione

100 g di maionese vegana

1 cucchiaio di aneto fresco,

Preparazione

Fate soffriggere le verdure miste in una padella con un filo d'olio finché saranno morbide. Mettete da parte e lasciate raffreddare.

In una ciotola unite le patate bollite e schiacciate, la farina d'avena, la cipolla tritata, la salsa di soia e le verdure saltate. Condite con sale e pepe. Formate delle piccole palline con il composto.

Scaldate l'olio vegetale in una padella e friggete le polpette di verdure a fuoco medio fino a doratura.

Per la salsa di senape e aneto, mescolate bene tutti gli ingredienti e condite con sale e pepe. Disponete le polpette di verdure su un piatto e servite con la salsa di senape e aneto.

Gemist (Grecia)

Ingredienti

4 pomodori grandi

250 g di riso

1 spicchio d'aglio tritato

100 g di concentrato di pomodoro

1 cucchiaino di aneto essiccato,

500 ml di brodo vegetale

4 peperoni

1 cipolla, tritata finemente

120 ml di olio d'oliva

1 cucchiaino di origano secco

sale e pepe

Preparazione

Cuocete il riso secondo le istruzioni sulla confezione.

Tagliate la parte superiore dei pomodori e svuotate l'interno. Tagliate a metà i peperoni e togliete i semi.

Soffriggete cipolla e aglio nell'olio d'oliva. Aggiungete il concentrato di pomodoro, origano, aneto, sale e pepe. Unite il riso cotto.

Versate il composto di verdure nelle metà di pomodoro e peperone preparate.

Disponete le verdure ripiene in una teglia. Aggiungete brodo vegetale.

Cuocete in forno preriscaldato a 180 gradi per circa 45 minuti fino a quando le verdure saranno morbide.

Risotto alle carote (Italia)

Ingredienti

500 g di riso per risotti

1 cipolla

1 litro di brodo vegetale

1 cucchiaio di prezzemolo

3 pizzichi di pepe

3 cucchiai di olio d'oliva per friggere

5 carote

1 spicchio d'aglio

250 ml di vino bianco

1 cucchiaino di succo di limone

3 pizzichi di sale

Preparazione

Preparate il brodo vegetale in una pentola e tenetelo al caldo.

Tagliate la cipolla a dadini piccoli, premete lo spicchio d'aglio e tagliate le carote a bastoncini fini.

Scaldate 2 cucchiai di olio in una pentola e fate soffriggere la cipolla e l'aglio fino a renderli traslucidi.

Aggiungete il riso, fatelo rosolare brevemente e sfumate con il vino.

Aggiungete le carote e cuocete a fuoco medio per 5 minuti.

Aggiungete il brodo vegetale e fate cuocere fino a quando il risotto sarà morbido ma ancora al dente.

Incorporate l'olio rimanente con il prezzemolo, il succo di limone, sale e pepe.

Servite in piatti fondi.

Gratin di cavolfiore (Norvegia)

Ingredienti

1 cavolfiore di medie dimensioni (ca. 800 g)

200 g di salsa di formaggio vegana

2 cucchiai di margarina vegetale

200 ml di latte d'avena

1 cucchiaino di senape

2 cucchiai di farina

Sale e pepe qb

150 g di formaggio grattugiato vegano

1 cucchiaio di prezzemolo tritato (facoltativo)

Preparazione

Tagliate il cavolfiore in piccole cimette e cuocetelo in acqua leggermente salata finché sarà tenero. Scolate.

Sciogliete la margarina in un pentolino, aggiungete la farina e fate rosolare brevemente. Incorporate lentamente il latte d'avena fino a formare una salsa liscia.

Aggiungete la salsa di formaggio vegana e mescolate bene. Mescolate senape, sale e pepe.

Disponete il cavolfiore in una pirofila, versatevi sopra la salsa di formaggio e distribuirla uniformemente. Cospargete di formaggio grattugiato vegano.

Cuocete in forno preriscaldato a 200 gradi per circa 20 minuti fino a quando il formaggio sarà dorato.

Decorate a piacere con prezzemolo tritato e servite.

Calpestio di patate (Germania)

Ingredienti

800 g di patate, sbucciate e tagliate a cubetti

200 g di spinaci freschi

2 cucchiai di margarina vegetale

1 cipolla tritata finemente

2 cucchiai di latte vegetale,

sale e pepe

Cipolle fritte per spolverare

Preparazione

Lessate i cubetti di patate in una pentola con acqua salata finché saranno teneri. Scolate e rimettete nella pentola.

In una pentola a parte, rosolate gli spinaci finché non saranno appassiti.

Sciogliete la margarina vegetale in una padella e friggete la cipolla fino a doratura.

Schiacciate le patate cotte, aggiungete il latte vegetale e mescolate bene.

Incorporate gli spinaci al vapore e le cipolle arrostite al purè di patate.

Condite con sale e pepe.

Distribuite il purè di patate sui piatti e cospargete di cipolle fritte.

Curry indiano "Chana Masala"

Ingredienti

400 g di ceci (in scatola), sciacquati e scolati

2 cucchiai di olio vegetale · 150 g di cipolla tritata finemente

15 g di zenzero fresco, grattugiato · 15 g di aglio tritato

1 peperoncino verde, tritato (facoltativo per piccantezza)

1 cucchiaino di cumino

1 cucchiaino di coriandolo in polvere

½ cucchiaino di curcuma · 1 cucchiaino di garam masala

1 cucchiaino di paprika · 120 ml di acqua

400 g di pomodori a pezzetti (in scatola) sale e pepe

Coriandolo fresco per guarnire

Preparazione

Scaldate l'olio in una pentola capiente e friggete la cipolla tritata fino a doratura. Aggiungete l'aglio, lo zenzero e il peperoncino verde (se utilizzato), soffriggete per altri 2 minuti.

Mescolate il cumino, il coriandolo in polvere, la curcuma, il garam masala e la paprika e fate rosolare per 1 minuto. Aggiungete i pomodorini tagliati a pezzetti e amalgamate bene il tutto. Lasciate cuocere per circa 5 minuti.

Aggiungete i ceci sciacquati, l'acqua, il sale e il pepe. Mescolate bene e cuocete a fuoco medio per 15-20 minuti.

Guarnite con coriandolo fresco e servite con riso o pane naan.

Ratatouille (Francia)

Ingredienti

5 pomodori, a fette

1 zucchina a cubetti

2 cipolle tritate finemente

1 cucchiaino di timo

1 cucchiaino di basilico

1 cucchiaio di olio d'oliva

2 melanzane, a dadini

3 peperoni a cubetti

2 spicchi d'aglio pressati

1 cucchiaino di prezzemolo

2 pizzichi di pepe

Preparazione

Scaldate l'olio in una pentola e soffriggete la cipolla e l'aglio fino a renderli traslucidi.

Aggiungete i pomodori, i peperoni e tutte le spezie e fate cuocere per 10 minuti a fuoco medio, mescolando di tanto in tanto.

Aggiungete le melanzane e le zucchine e fate cuocere, mescolando di tanto in tanto, per altri 15 minuti.

Servite con baguette fresca.

Falafel (Libano)

Ingredienti

120 g di farina di ceci

2 spicchi d'aglio pressati

1 cucchiaio di prezzemolo

½ cucchiaino di cumino

1 cucchiaino di olio d'oliva

Olio d'oliva per friggere

1 cipolla tagliata a dadini fini

200 ml di acqua

1 cucchiaino di sale

½ cucchiaino di succo di limone

1 pizzico di lievito

Preparazione

Portate a ebollizione l'acqua in una pentola.

Mescolate insieme tutti gli ingredienti secchi e versarvi sopra l'acqua bollente.

Mescolate bene e lasciate macerare per 15 minuti.

Mescolate l'impasto con il succo di limone e l'olio.

Scaldate l'olio in una padella.

Formate i falafel con le mani inumidite e friggeteli a fuoco medio.

Se possibile, girateli solo una volta e fateli friggere coperti.

Gulash di patate (Ungheria)

Ingredienti

2 patate

1 cipolla

2 spicchi d'aglio

2 cucchiaini di concentrato di pomodoro

2 cucchiaini di paprika

3 pizzichi di peperoncino in polvere

4 cucchiai di olio di colza per friggere

250 g di funghi

2 peperoni rossi

1 cucchiaino di cumino

1 cucchiaino di maggiorana

sale e pepe

Acqua fino a coprire le patate

Preparazione

Tritate finemente la cipolla, spremete gli spicchi d'aglio, tagliate a pezzetti i funghi e affettate i peperoni e le patate.

Scaldate 2 cucchiai di olio in una pentola e fate soffriggere la cipolla a fuoco medio fino a renderla traslucida.

Incorporate il concentrato di pomodoro e dopo 1 minuto aggiungete le patate, i peperoni e l'aglio. Dopo 3 minuti, aggiungete abbastanza acqua da coprire le patate.

Aggiungete gli ingredienti rimanenti e cuocete a fuoco lento fino a quando saranno morbidi per 10 minuti.

Se evapora troppa acqua, magari aggiungetene un po'. Scaldate l'olio rimanente in una padella e friggete i funghi fino a doratura. Mescolate i funghi nel gulasch e servite in piatti preriscaldati.

Sushi (Giappone)

Ingredienti

2 fogli di alga nori   200 g di riso sushi

2 cucchiai di aceto di riso   1 cucchiaio di zucchero

½ avocado tagliato a fettine sottili   1 carota tritata

½ cetriolo privato dei semi e tagliato a listarelle sottili

Un pizzico di sale   salsa di soia per servire

Zenzero e wasabi a piacere

Preparazione

Cuocete il riso per sushi secondo le indicazioni sulla confezione.

In una piccola ciotola, unite aceto di riso, zucchero e sale. Mettete il riso cotto in una ciotola capiente e aggiungete la miscela di aceto. Lasciate raffreddare. Mettete un foglio di nori su una stuoia di bambù. Distribuite uniformemente uno strato sottile di riso sull'alga nori, lasciando un bordo di circa 1 cm nella parte superiore. Disponete le strisce di verdure e le fette di avocado orizzontalmente sul bordo inferiore del riso.

Arrotolate la stuoia di bambù dal basso, assicurandovi che il ripieno sia avvolto strettamente.

Inumidite il bordo libero dell'alga nori con un po' d'acqua e arrotolate completamente. Posizionate il rotolo, con la cucitura rivolta verso il basso, su un tagliere. Tagliate il rotolo in circa 6-8 pezzi con un coltello affilato.

Servite i pezzi di sushi con salsa di soia, zenzero e wasabi.

Spezzatino di cavolo polacco "Bigos"

Ingredienti

400 g di tofu al naturale

400 g di funghi

1 cipolla

1 ½ tubetto di concentrato di pomodoro

1 cucchiaio di brodo vegetale

1 cucchiaino di paprika in polvere

4 cucchiai di olio di colza per friggere

Contorno: pane

1 piccola testa di cavolo bianco

1 confezione di crauti

2 foglie di alloro

4 bacche di ginepro

Sale e pepe qb

Preparazione

Asciugate bene il tofu con carta da cucina e tagliatelo a cubetti.

Tagliate il cavolo cappuccio bianco a listarelle sottili, tritate i funghi e la cipolla a pezzetti. Scaldate 2 cucchiai di olio in una pentola e fate rosolare il cavolo bianco, i crauti, l'alloro e le bacche di ginepro finché il cavolo bianco sarà al dente. Scaldate l'olio rimanente in una padella.

Friggete la cipolla e i funghi per 5 minuti a fuoco medio.

Aggiungete il tofu, il brodo vegetale e le spezie e friggete finché il tofu non diventa dorato. Quando il cavolo bianco sarà al dente, aggiungete il concentrato di pomodoro, aggiungete il tofu nella pentola e mescolate bene. Servite con pane. A proposito, il Bigos ha un sapore migliore quando rimane in infusione per un giorno e poi viene riscaldato.

Polpette di verdure (finlandesi)

Ingredienti

100 g di fiocchi d'avena

2 patate grandi, bollite e schiacciate

1 cipolla tritata finemente

1 cucchiaino di cumino macinato

1 cucchiaino di paprika in polvere

2 cucchiai di concentrato di pomodoro

3 cucchiai di farina (per consistenza)

olio per friggere

1 carota, grattugiata finemente

2 spicchi d'aglio pressati

Salare e pepare a piacere

Preparazione

In una ciotola, mescolate la farina d'avena con le patate bollite e schiacciate.

Aggiungete la carota grattugiata, la cipolla tritata, l'aglio pressato, il cumino, la paprika, il sale, il pepe e il concentrato di pomodoro. Mescolate bene. Aggiungete la farina per legare il composto e dargli una consistenza malleabile.

Formate piccole porzioni di composto e pressatele fino a ottenere delle polpette piatte. Scaldate l'olio in una padella e friggete le polpette di verdure su entrambi i lati fino a doratura. Scolate su carta assorbente per eliminare l'olio in eccesso. Servite le polpette di verdure con contorni a vostra scelta oppure in un hamburger.

Piatto di riso con pomodori e peperoni (Portogallo)

Ingredienti

1 tazza (200 g) di riso a grani lunghi

2 cucchiai di olio d'oliva

2 spicchi d'aglio tritati

4 pomodori maturi, tagliati a dadini

1 cucchiaino di concentrato di pomodoro

1 cucchiaino di paprika in polvere,   sale e pepe

Prezzemolo fresco per guarnire

2 tazze di acqua

1 cipolla tritata finemente

2 peperoni rossi tagliati a dadini

Preparazione

Sciacquate bene il riso e cuocetelo in una pentola con 2 tazze d'acqua fino a cottura. Mettete da parte. Scaldate l'olio d'oliva in una padella e soffriggete la cipolla tritata fino a doratura.

Aggiungete l'aglio tritato e rosolatelo brevemente fino a quando diventa fragrante. Aggiungete i peperoni tagliati a cubetti nella padella e fateli rosolare a fuoco medio fino a quando non saranno ammorbiditi, circa 5 minuti. Aggiungete i pomodori a dadini, il concentrato di pomodoro e la paprika in polvere. Sale e pepe a piacere. Cuocete a fuoco lento finché i pomodori non si saranno sfaldati e il composto avrà raggiunto una consistenza densa, circa 10 minuti.

Unite il riso cotto al composto di verdure e mescolate bene. Guarnite il piatto con prezzemolo fresco e servite.

Kaiserschmarrn (Austria)

Ingredienti

180 g farina

1 bustina di lievito in polvere

2 cucchiai di sciroppo d'agave

3 cucchiai di olio (di colza) per l'impasto

3 cucchiai di olio (di colza) per friggere

350 ml latte di soia

1 bustina di zucchero vanigliato

1 pizzico di sale

Preparazione

Mescolate tutti gli ingredienti in una ciotola fino a formare un impasto liscio.

Scaldate l'olio in una padella.

Versate l'impasto nella padella e friggete a fuoco medio.

Togliete ogni tanto dal bordo e girate, quando la parte inferiore sarà fritta e l'impasto non sarà più liquido sopra.

Continuate a friggere brevemente e poi dividete l'impasto in piccoli pezzi.

Se necessario aggiungete ancora un po' d'olio e friggete i pezzi fino a renderli croccanti.

Spolverizzate con zucchero a velo e servite.

Spezzatino di fagioli bianchi (Bulgaria)

Ingredienti

250 g di fagioli bianchi (in scatola, scolati e lavati)

500 ml di acqua	1 pomodoro, tagliato piccolo
1 peperone, a dadini	1 carota, a dadini
1 cipolla tritata	1 spicchio d'aglio pressato
2 cucchiaini di menta	1 cucchiaino di santoreggia
1 cucchiaino di sale	1 cucchiaino di pepe
1 pizzico di bicarbonato di sodio	2 cucchiai di farina
1 cucchiaio di paprika in polvere	
4 cucchiai di olio (di colza) per friggere	Contorno: pane bianco

Preparazione

Lessate i fagioli con l'acqua nella pentola e aggiungete il bicarbonato. Fate bollire i fagioli fino a renderli morbidi per un'ora. Una volta che i fagioli saranno teneri ma ancora leggermente al dente, aggiungete la cipolla, l'aglio, le carote e i peperoni tritati e fate cuocere per altri 10 minuti. Aggiungete i pomodorini, il sale e fate cuocere per altri 5 minuti. Aggiungete le spezie, tranne la paprika in polvere, e lasciate in infusione la zuppa. Scaldate l'olio e la farina in una seconda pentola, mescolando continuamente con una frusta. Aggiungete la paprika in polvere e mescolate fino a quando non saranno più rimasti grumi. Sfumate la zuppa con un mestolo, mescolate bene e aggiungete il contenuto della seconda pentola alla prima. Portate nuovamente a ebollizione e servire con pane bianco.

Canederli altoatesini agli spinaci (Italia)

Ingredienti (6 gnocchi)

250 g – 300 g Pane per canederli (o panini del giorno prima)

300 g di spinaci surgelati, sgocciolati   250 ml di latte di soia

3 cucchiai di farina di soia, mescolata in 100 ml di acqua

80 g di cipolle   1 spicchio d'aglio

1 cucchiaino di sale   2 pizzichi di pepe

20 ml di olio (di colza) per friggere   200 g di burro vegano

3 cucchiai di lievito in scaglie   3 cucchiai di lievito in scaglie

Salsa:

Preparazione

Mettete il pane con gli gnocchi in una ciotola capiente (tagliate i vecchi panini a pezzetti). Tagliate la cipolla a dadini, schiacciate finemente l'aglio e fateli soffriggere in una padella con l'olio fino a quando saranno traslucidi. Aggiungete gli spinaci e portate a ebollizione.

Aggiungete il latte di soia e cuocete a fuoco medio per 2 minuti.

Incorporate la farina di soia, il sale, il pepe e i fiocchi di lievito e mescolate bene. Aggiungete il tutto nella ciotola con il pane per gnocchi e lasciate raffreddare leggermente. Mescolate e formate i ravioli.

Lasciate riposare gli gnocchi in una pentola con acqua salata a bollore per 20 minuti. Scaldate lentamente il burro in una casseruola.

Quando il burro sarà liquido aggiungete il lievito in scaglie.

Disponete gli gnocchi su un piatto e servite con la salsa.

Gratin di patate (Francia)

Ingredienti

1 kg di patate (preferibilmente a pasta cerosa)

250 g panna vegetale

150 g latte vegetale

3 pizzichi di noce moscata

50 g di burro vegano

Sale e pepe a piacere

Preparazione

Preriscaldate il forno a 180°C (forno ventilato).

Ungete la teglia con un po' di burro vegano.

Tagliate la patata sbucciata e lavata a fettine sottili.

Disponete le fette di patate nella pirofila e condite ogni strato con sale, pepe e un po' di noce moscata.

Mescolate la panna con il latte vegetale e versate sulle patate.

Tagliate il burro rimanente a cubetti e distribuitelo sulla gratinatura.

Cuocete in forno per 45 minuti finché le patate saranno dorate e il liquido sarà stato assorbito.

Cous cous con ceci (Marocco)

Ingredienti

250 g di cous cous   2 carote, a dadini

1 barattolo di ceci (ca. 400 g), sciacquati e scolati

2 zucchine, a dadini   1 peperone rosso, a dadini

1 cipolla tritata finemente   2 spicchi d'aglio tritati

3 cucchiai di olio d'oliva   1 cucchiaino di cumino

1 cucchiaino di cannella

1 cucchiaino di pistilli di zafferano (facoltativo)

Sale e pepe qb   500 ml di brodo vegetale

Preparazione

Scaldate l'olio d'oliva in una pentola capiente. Soffriggete la cipolla e l'aglio fino a renderli morbidi. Aggiungete le verdure tagliate a dadini e rosolatele fino a doratura, circa 5 minuti.

Aggiungete i ceci, il cumino, la cannella e lo zafferano facoltativo. Mescolate bene.

Aggiungete il cous cous e bagnate con il brodo vegetale. Coprite la pentola e togliete dal fuoco. Lasciate riposare per circa 10 minuti finché il cous cous non avrà assorbito il liquido.

Sgranate il cous cous con una forchetta e condite con sale e pepe.

Se lo desiderate, guarnite con erbe fresche come prezzemolo o coriandolo.

Asparagi Verdi Grigliati (Spagna)

Ingredienti

500 g di asparagi verdi
2 cucchiai di olio d'oliva
Sale marino a piacere

Preparazione

Lavate gli asparagi verdi e tagliate le estremità legnose.

Preriscaldate una bistecchiera o una griglia.

Condite gli asparagi con olio d'oliva, assicurandovi che siano ricoperti uniformemente.

Posizionate gli asparagi sulla griglia calda e grigliateli fino a quando saranno teneri e leggermente dorati, circa 5-7 minuti.

Girate di tanto in tanto.

Cospargete di sale marino e servite subito.

Riso fritto (Vietnam)

Ingredienti

250 g di riso a chicco lungo cotto (preferibilmente del giorno prima)

200 g di tofu sodo, tagliato a dadini 2 cipollotti, tritati

1 tazza di verdure miste (carote, piselli, mais, peperoni),
tagliate a dadini fini

1 cucchiaio di olio di sesamo

1 cucchiaino di zenzero grattugiato

1 cucchiaino di paprika in polvere,

2 cucchiai di olio di colza per friggere

2 cucchiai di salsa di soia

3 spicchi d'aglio tritati

sale e pepe

Preparazione

Allentate il riso cotto in modo che non ci siano grumi. L'ideale è il riso del giorno prima perché risulta un po' più asciutto.

Scaldate l'olio vegetale in una padella larga. Soffriggete brevemente l'aglio e lo zenzero finché diventano fragranti. Aggiungete il tofu e friggete fino a doratura. Aggiungete le verdure e friggetele per 3-5 minuti fino a renderle morbide. Aggiungete il riso nella padella e mescolate bene.

Aggiungete la salsa di soia, l'olio di sesamo e la paprika in polvere. Mescolate il tutto accuratamente e continuate a friggere fino a quando il riso sarà leggermente croccante.

Condite con sale e pepe. Guarnite con cipollotti tritati e servite subito.

Stufato di verdure "Chakalaka" (Sudafrica)

Ingredienti

1 lattina di fagioli al sugo di pomodoro

2 carote

2 cipolle

3 cucchiaini di curry

4 cucchiai di olio di colza per friggere

Contorno: riso

1 cucchiaino di sale

3 peperoni

1 cucchiaino di brodo vegetale

1 cucchiaino di pepe

Preparazione

Tagliate i peperoni e le carote a cubetti di 1 cm.

Tritate finemente la cipolla.

Scaldate l'olio in una padella e fate cuocere le verdure per 15 minuti a fuoco basso, mescolando spesso.

Aggiungete i fagioli e gli altri ingredienti e cuocete a fuoco basso per altri 15 minuti. Mescolate ancora e ancora.

Servite le verdure con il riso.

Tempeh (Indonesia)

Ingredienti

400 g di tempeh, a dadini

200 g di germogli

10 cipolline, affettate

1 peperone tagliato a dadini

2 cucchiaini di pepe polvere

5 cucchiai di olio di colza

5 cucchiai di salsa di soia e quanto basta a piacere

Contorno: riso

200 g di funghi, a fette

2 carote, a fette

4 spicchi d'aglio tritati finemente

2 cucchiaini di peperoncino in

Preparazione

Scaldate l'olio in una padella larga o nel wok e friggere il tempeh a fuoco medio per 5 minuti.

Aggiungete funghi, peperoni e cipolline.

Mescolate spesso a fuoco medio per 5 minuti.

Aggiungete la paprika, gli spicchi d'aglio, il pepe, il peperoncino in polvere e 5 cucchiai di salsa di soia e continuate a cuocere a fuoco lento per 3 minuti, mescolando continuamente.

Incorporate i cavoletti e togliete la padella dal fuoco.

Se lo desiderate, aggiungete un po' più di salsa di soia e servite con il riso.

Rösti con verdure (Svizzera)

Ingredienti

500 g di patate a pasta cerosa

1 carota, grattugiata

2 cucchiai di olio vegetale

1 cipolla, tritata finemente

1 zucchina, grattugiata

sale e pepe

Preparazione

Sbucciate le patate e grattugiatele grossolanamente.

Mettete le patate grattugiate in un canovaccio pulito e spremete il liquido in eccesso.

Aggiungete alle patate la cipolla tritata, la carota grattugiata e le zucchine. Mescolate bene.

Scaldate l'olio vegetale in una padella larga.

Versate il composto di verdure e patate nella padella e stendetelo uniformemente, pressando leggermente.

Friggete a fuoco medio fino a doratura. Dopo circa 8-10 minuti girate e friggete l'altro lato fino a renderlo croccante.

Condite con sale e pepe.

Tagliate il rösti a pezzetti e servite subito.

Tagliatelle di vetro "Japchae" (Corea)

Ingredienti

200 g di pasta di vetro

1 carota, tagliata a listarelle

2 spicchi d'aglio tritati

1 cucchiaio di olio di sesamo

2 cucchiai di olio di colza

1 manciata di spinaci lavati

1 cipolla, tritata

2 cucchiai di salsa di soia

1 cucchiaio di zucchero

Semi di sesamo per guarnire

Preparazione

Cuocete i noodles di vetro secondo le istruzioni sulla confezione, scolateli e sciacquateli. Mettete da parte.

Scaldate l'olio vegetale in una padella. Friggete le cipolle e l'aglio fino a renderli morbidi.

Aggiungete le strisce di carota e continuate a friggere fino a renderle morbide.

Aggiungete gli spinaci e mescolate finché non appassiscono.

Aggiungete le tagliatelle di vetro cotte nella padella.

Aggiungete la salsa di soia, l'olio di sesamo e lo zucchero. Mescolate bene il tutto e continuate a friggere fino a quando le tagliatelle saranno ben calde.

Decorate con semi di sesamo e servite.

Cavolo bianco brasato (Ucraina)

Ingredienti

1 cavolo bianco medio, tritato

3 pomodori tagliati a

Sale e pepe a piacere

Contorno: riso

2 cipolle, tritate

dadini 3 cucchiai di olio di colza

Erbe fresche per guarnire

Preparazione

Scaldate l'olio in una pentola capiente. Soffriggete le cipolle fino a renderle morbide.

Aggiungete il cavolo bianco tritato e soffriggete finché non si ammorbidisce, circa 10 minuti.

Aggiungete i pomodorini tagliati a dadini e fate cuocere per altri 5 minuti.

Condite con sale e pepe.

Coprite la pentola e fate sobbollire la pirofila a fuoco basso finché tutti i sapori non si saranno amalgamati, circa 15-20 minuti.

Servite con riso come contorno e guarnito con erbe fresche.

Curry di Massaman (Thailandia)

Ingredienti

200 g di tofu sodo, tagliato a cubetti

2 patate, sbucciate e tagliate a cubetti

1 lattina (400 ml) di latte di cocco

2 cucchiai di pasta di curry Massaman

2 cucchiai di burro di arachidi

Coriandolo fresco per guarnire

1 cucchiaio di zucchero di canna

Contorno: riso

1 cipolla, tritata

80 g di arachidi

1 stecca di cannella

1 cucchiaio di olio di colza

½ cucchiaino di cardamomo

1 cucchiaio di salsa di soia

Preparazione

Scaldate l'olio in una pentola capiente e friggete la cipolla fino a renderla morbida. Aggiungete la pasta di curry Massaman e friggete brevemente.

Aggiungete il latte di cocco, la stecca di cannella e il cardamomo. Mescolate bene.

Aggiungete le patate, le arachidi e i cubetti di tofu nella pentola. Portate il tutto a ebollizione e poi abbassate la fiamma.

Aggiungete il burro di arachidi, la salsa di soia e lo zucchero di canna. Mescolate bene e cuocete a fuoco lento il curry per circa 20-25 minuti finché le patate non saranno tenere.

Guarnite con coriandolo fresco e servite con riso.

Tagliatelle di tofu con salsa teriyaki (Giappone)

Ingredienti

200 g di tofu tagliato a dadini

1 carota tagliata a listarelle

2 cipolline, tagliate ad anelli

3 cucchiai di salsa teriyaki

1 cucchiaio di olio di sesamo

Semi di sesamo e cipollotti per guarnire

200 g di noodles asiatici

2 spicchi d'aglio tritati

1 cucchiaio di olio di colza

2 cucchiai di salsa di soia

Preparazione

Cuocete la pasta secondo le istruzioni riportate sulla confezione. Scolate e mettete da parte.

Scaldate l'olio in una padella. Friggete il tofu tagliato a dadini fino a doratura. Rimuovete e mettere da parte.

Nello stesso olio soffriggete l'aglio tritato fino a renderlo fragrante. Aggiungete la carota e fatela rosolare brevemente.

Aggiungete le tagliatelle cotte e i cubetti di tofu nella padella. Aggiungete la salsa teriyaki, la salsa di soia e l'olio di sesamo. Mescolate tutto bene e scaldate. Aggiungete i cipollotti e continuate a soffriggere fino a quando le verdure e il tofu saranno ben ricoperti.

Guarnite con semi di sesamo e ulteriori cipolle verdi.

Mac'n'Cheese (Stati Uniti)

Ingredienti

300 g di maccheroni   200 g di patate, a dadini

100 g di carote, a cubetti   75 g di anacardi

30 g di lievito in scaglie (per un gusto al formaggio)

60 g di margarina vegetale   1 spicchio d'aglio tritato

½ cucchiaino   Sale e pepe a piacere

di succo di senape di mezzo limone

Preparazione

Cuocete la pasta secondo le istruzioni riportate sulla confezione. Scolate e mettete da parte.

Cuocete le patate, le carote e gli anacardi tagliati a cubetti in una pentola d'acqua fino a renderli morbidi.

Scolate le verdure cotte e gli anacardi, conservando circa 1 bicchiere di acqua di cottura.

In un frullatore o robot da cucina, frullate le verdure cotte, gli anacardi, il lievito alimentare, la margarina vegetale, l'aglio, la senape, il succo di limone, sale e pepe. Aggiungete acqua di cottura tenuta da parte quanto necessario per raggiungere la consistenza desiderata.

Versate la salsa sulla pasta cotta e mescolate bene.

Condite con altre spezie se lo desiderate e servite.

Salse, condimenti e creme spalmabili

Aromi invitanti e prelibatezze salate per coccolare le vostre papille gustative: iniziate la giornata con deliziose salse e creme spalmabili puramente vegetali!

Hummus (Siria)

Ingredienti

300 g di ceci secchi

300 g di pasta di sesamo (tahini)

Succo di 4 limoni

2 pizzichi di sale

1 cucchiaino di paprika in polvere

100 ml di olio di colza

1 cucchiaino di pepe

4 spicchi d'aglio

1 cucchiaino di cumino

Preparazione

Mettete a bagno i ceci per una notte.

Il giorno dopo scolateli e cuoceteli finché saranno morbidi.

Non scaricate l'acqua.

Frullate i ceci con un frullatore a immersione.

Aggiungete nuovamente la pasta di sesamo e la purea.

Aggiungete l'aglio, le spezie e il succo di limone.

Mettete l'hummus su un piatto fondo.

Scaldate l'olio e distribuitelo sull'hummus.

Burro di arachidi (Stati Uniti)

Ingredienti

400 g di arachidi tostate (non salate)

30 ml di latte di mandorle

½ cucchiaino di sale

Preparazione

Frullate tutti gli ingredienti nel frullatore fino a ottenere una massa cremosa.

Il burro di arachidi durerà fino a 14 giorni in frigorifero.

Alioli (Spagna)

Ingredienti

6 spicchi d'aglio

50 ml di olio d'oliva

50 ml di olio di semi di girasole

1 cucchiaino di sale

1 cucchiaino di succo di limone

Preparazione

Frullate gli spicchi d'aglio con il sale.

Aggiungete lentamente l'olio d'oliva e l'olio di semi di girasole, mescolando continuamente.

Mescolate il succo di limone e fate raffreddare fino al momento dell'uso.

Guacamole (Messico)

Ingredienti

3 avocado maturi
1 cipolla piccola, tritata finemente
2 pomodori tagliati a
dadini 1 spicchio d'aglio tritato finemente
Una manciata di coriandolo fresco, tritato
Sale e pepe a piacere
Succo di un lime

Preparazione

Tagliate a metà gli avocado, eliminate il nocciolo e raccogliete la polpa in una ciotola con un cucchiaio.

Schiacciate gli avocado con una forchetta fino a ottenere una consistenza cremosa.

Aggiungete la cipolla, i pomodori, il coriandolo e l'aglio e mescolate bene.

Spremete sopra il succo di lime e condite con sale e pepe.

Lasciate riposare brevemente il guacamole in frigorifero prima di servire.

Muhammara (Siria)

Ingredienti

200 g di noci

5 fette di fette biscottate

3 peperoni rossi

2 spicchi d'aglio

6 cucchiai di olio d'oliva

2 cucchiai di harissa (opzionale sambal olek)

1 pizzico di sale

Preparazione

Tagliate in quarti i peperoni e metteteli in una ciotola con tutti gli ingredienti.

Frullate con un frullatore a immersione o in un frullatore fino a ottenere una pasta cremosa.

Mettete in una piccola ciotola.

La pasta di peperoni dura almeno 2 giorni in frigorifero, oppure potete anche congelarla.

Pesto di menta macadamia (Australia)

Ingredienti

150 g di noci di macadamia
2 spicchi d'aglio
Una manciata di foglie di menta fresca
120 ml di olio d'oliva
Sale a piacere

Preparazione

Tostate leggermente le noci di macadamia in una padella fino a doratura.

Mettete le foglie di menta, le noci di macadamia tostate, l'aglio e il sale in un frullatore.

Aggiungete l'olio d'oliva e frullate il tutto fino a ottenere una consistenza cremosa.

Condite a piacere e versate in un bicchiere.

Salsiccia di fegato vegana (Germania)

Ingredienti

200 g di lenticchie marroni, cotte

100 g di tofu affumicato, tagliato a dadini

1 cipolla tritata

2 spicchi d'aglio tritati

60 ml di olio di colza

1 cucchiaino di maggiorana

1 cucchiaino di cumino

1 cucchiaino di paprika in polvere (dolce)

Sale e pepe a piacere

Preparazione

Schiacciate grossolanamente le lenticchie cotte in una ciotola capiente.

In una padella, soffriggete la cipolla e l'aglio nell'olio di colza fino a renderli traslucidi.

Aggiungete le cipolle e l'aglio cotti al vapore alle lenticchie e mescolate bene. Aggiungete la maggiorana, il cumino, la paprika in polvere, sale e pepe. Condite bene e mescolare.

Incorporate il tofu affumicato tagliato a dadini e mescolate ancora.

Versate il composto in un barattolo da conserva e lasciatelo macerare in frigorifero per almeno 2 ore in modo che i sapori si sviluppino bene.

Feta greca

Ingredienti

400 g di tofu naturale

1 cucchiaino di timo

3 cucchiaini di sale

2 pizzichi di pepe

Acqua

100 ml di olio d'oliva

1 cucchiaino di basilico

1 cucchiaino di succo di limone

2 pizzichi di sale

Preparazione

Asciugate il tofu e tagliatelo a cubetti.

Fate bollire l'acqua in una pentola.

Aggiungete i cubetti di tofu e cuocete a fuoco medio per 10 minuti.

Scolate il tofu in un colino e riponetelo in un barattolo richiudibile.

Cospargete il tofu con erbe e spezie e versarvi sopra il succo di limone.

Riempite il bicchiere con olio d'oliva.

Lasciate chiuso in frigo per 3 giorni.

La feta vegana durerà 5 giorni.

Tzatziki greco

Ingredienti

500 g di yogurt di soia naturale

2 spicchi d'aglio

1 cucchiaio di olio (d'oliva)

1 cucchiaino di sale

1 cetriolo

2 cucchiai di aneto

1 cucchiaino di succo di limone

1 cucchiaino di pepe

Opzionale 2 cucchiaini di bucce di psillio macinate

Preparazione

Schiacciate gli spicchi d'aglio.

Tagliate a metà il cetriolo, eliminate i semi e grattugiate grossolanamente.

Mescolate tutti gli ingredienti in una ciotola e lasciate riposare per 3 ore.

Se vi piace lo tzatziki più sodo, potete anche aggiungere 2 cucchiaini di buccia di psillio macinata mescolando.

Pesto italiano

Ingredienti

50 g di pinoli

40 g di basilico

4 cucchiai di olio d'oliva.

¼ cucchiaino di pepe

50 g di gherigli di noci

½ cucchiaino di sale

2 cucchiai di lievito in scaglie

Opzionale: 1 spicchio d'aglio

Preparazione

Mettete i pinoli e le noci in una padella riscaldata e fateli rosolare per 2 minuti, girandoli spesso.

Mettete i chicchi con tutti gli ingredienti in una ciotola e frullateli fino a ottenere una massa fine con un frullatore a immersione.

Conservate il pesto in un contenitore ermetico nel frigorifero. Mescolate bene prima di servire con la pasta, sul pane o come salsa.

Salsa Gochujang (Corea)

Ingredienti

3 cucchiai di gochujang (pasta di peperoncino fermentato coreano)

2 cucchiai di aceto di riso

1 spicchio d'aglio tritato

1 cucchiaio di sciroppo d'acero o sciroppo d'agave

2 cucchiai di salsa di soia (o tamari per i senza glutine)

1 cucchiaino di zenzero fresco grattugiato

Facoltativo: cipolline tritate finemente come guarnizione

Preparazione

In una ciotola unite il gochujang, l'aceto di riso, l'aglio tritato, lo sciroppo d'acero, la salsa di soia e lo zenzero appena grattugiato.

Mescolate bene tutti gli ingredienti fino a formare un composto uniforme.

Assaggiate la salsa e, se necessario, aggiustate la dolcezza o la piccantezza.

Facoltativamente guarnite con cipollotti tritati finemente.

Lasciate in infusione la salsa gochujang per almeno 15-20 minuti prima di servire in modo che i sapori si sviluppino bene.

Salsa all'arrabbiata (Italia)

Ingredienti

800 g di pomodori a dadini (in scatola o freschi)

3 spicchi d'aglio tritati

2 cucchiai di olio d'oliva

1 cucchiaino di peperoncino essiccato in scaglie,

sale e pepe

Una manciata di prezzemolo fresco, tritato

Preparazione

Scaldate l'olio d'oliva in una casseruola a fuoco medio. Aggiungete l'aglio tritato e il peperoncino in scaglie. Rosolate delicatamente fino a quando l'aglio sarà profumato ma non dorato.

Aggiungete nella pentola i pomodorini tagliati a dadini. Condite con sale e pepe.

Portate a ebollizione la salsa, quindi abbassate la fiamma e cuocete a fuoco lento per circa 15-20 minuti. Mescolate di tanto in tanto.

Aggiungete al sugo il prezzemolo tritato e fate cuocere ancora per qualche minuto.

Condite con ulteriore sale e pepe.

Salsa saté (Indonesia)

Ingredienti

150 g di burro di arachidi

200 ml di latte di cocco

2 cucchiai

di succo di salsa di soia di un lime

2 cucchiai di zucchero di canna

1 cucchiaino di zenzero grattugiato

1 spicchio d'aglio tritato

1 cucchiaino di olio di sesamo (facoltativo)

Preparazione

In una piccola casseruola, unite burro di arachidi, latte di cocco, salsa di soia, succo di lime, zucchero di canna, zenzero e aglio.

Cuocete a fuoco medio, mescolando continuamente, finché il burro di arachidi non sarà sciolto e gli ingredienti saranno ben amalgamati.

Se lo desiderate, aggiungete olio di sesamo e continuate a mescolare.

Fate bollire la salsa a fuoco basso finché non si sarà leggermente addensata. Assaggiate e aggiungete altra salsa di soia, zucchero o succo di lime secondo necessità.

Lasciate raffreddare la salsa satay e servite con spiedini satay, verdure, pasta o riso.

Salsa di cocco al curry (India)

Ingredienti

400 ml di latte di cocco

2 spicchi d'aglio tritati

2-3 cucchiai di pasta di curry

1 cucchiaio di zenzero grattugiato

2 cucchiai di salsa di soia

Preparazione

In una padella o pentola, mescolate la pasta di curry con un po' di latte di cocco e scaldate a fuoco medio finché non si sviluppano i sapori.

Aggiungete l'aglio e lo zenzero e fate rosolare brevemente fino a quando diventano fragranti.

Mescolate il restante latte di cocco e aggiungete la salsa di soia. Mescolate bene.

Cuocete la salsa a fuoco basso finché non si addensa leggermente.

Assaggiate e aggiustate secondo necessità.

Pane e focacce

Aromi deliziosi e piaceri sazianti che incanteranno le vostre papille gustative: iniziate la giornata con deliziose creazioni di pane e panini realizzati con ingredienti puramente vegetali!

Baguette (Francia)

Ingredienti (2 baguette)

200 g farina tipo 405
300 ml di acqua fredda
3 pizzichi di sale
1 cucchiaino di olio vegetale

200 g farina di farro tipo 630
¼ cucchiaino di lievito secco
1 pizzico di zucchero

Preparazione

Mescolate farina, lievito secco, sale, zucchero e olio.

Mescolate in acqua fredda e impastate.

Lasciate riposare l'impasto coperto per almeno 12 ore.

Preriscaldate il forno a 180°C (forno ventilato).

Con l'impasto formate due baguette e disponetele su una teglia foderata con carta da forno.

Mettete una ciotola piena d'acqua adatta al forno sotto la teglia.

Cuocete per 20 minuti. Quando le baguette saranno belle dorate, toglietele dal forno.

Ciabatta (Italia)

Ingredienti (2 ciabatte)

500 g di farina tipo 405

½ cucchiaino di lievito secco

1 cucchiaino di zucchero

350 ml di acqua tiepida

2 cucchiaini di sale

2 cucchiai di olio d'oliva

Preparazione

Mescolate tutti gli ingredienti fino a ottenere un impasto liscio.

Coprite l'impasto e lasciatelo lievitare per una notte.

Formate 2 pani di ciabatta su una teglia rivestita con carta da forno. Spolverizzate leggermente di farina e lasciate lievitare per 30 minuti.

Preriscaldate il forno a 180°C (forno ventilato).

Cuocete in forno per 30 minuti.

La ciabatta va consumata entro 2 giorni.

Naturalmente potete anche congelarla.

Bürli svizzero

Ingredienti

400 g di farina di frumento
340 ml di acqua tiepida
2 cucchiaini di sale

100 g di farina di segale
½ cubetto di lievito

Preparazione

Sciogliete il lievito nell'acqua e unitelo al resto degli ingredienti.

Coprite l'impasto e lasciatelo lievitare tutta la notte per almeno 12 ore.

Preriscaldate il forno a 180°C (forno ventilato).

Tirate fuori l'impasto dal frigo, infarinatelo leggermente e con un cucchiaio e ricavate 12 bürli.

Disponete i bürli su una teglia rivestita di carta da forno e lasciateli cuocere per 25 minuti.

Fate la prova stecchino. Se l'impasto si attacca, fate cuocere ancora un po'.

Lasciate raffreddare i panini su una gratella.

Panini naan indiani

Ingredienti

450 g di farina

3 cucchiai di latte vegetale

2 cucchiaini di aglio in polvere

1 cucchiaio di zucchero

1 cucchiaio di olio (di colza).

250 ml di acqua tiepida

1/2 bustina di lievito secco

1 cucchiaino di curry in polvere

1 cucchiaino di sale

Preparazione

Sciogliete il lievito nell'acqua tiepida e lasciate riposare per 10 minuti.

Aggiungete gli altri ingredienti e impastate fino a ottenere un impasto morbido.

Lasciate lievitare l'impasto coperto per 1 ora.

Dividete poi l'impasto in pezzetti grandi quanto una pallina da golf e fatelo riposare, coperto, per altri 30 minuti.

Stendete le palline di pasta sottilmente e friggetele in una padella al livello più alto per 2 minuti finché non si formano delle bolle e il pane naan diventa leggermente dorato.

Tortilla messicane

Ingredienti (6 tortillas)

250 g di farina di frumento (tipo 405)   250 ml di acqua bollente
½ cucchiaino di sale   50 g di farina per stendere

Preparazione

Mettete la farina e il sale in una ciotola e fate una fontana al centro.

Versate l'acqua bollente, mescolando continuamente.

Impastate la pasta calda.

Infarinate leggermente il piano di lavoro, dividete l'impasto in sei porzioni e stendetelo in tortillas.

Friggete in una padella rivestita senza olio per un minuto su ciascun lato.

Rotoli (Germania)

Ingredienti

500 g di farina di frumento (Tipo 550)   300 ml di acqua tiepida

1 bustina di lievito secco oppure 42 g di lievito fresco

1 cucchiaino di zucchero   1 cucchiaino di sale

2 cucchiai di olio vegetale

Preparazione

Setacciate la farina in una ciotola capiente e formate una fontana al centro. Versate il lievito nella fontana, cospargetelo di zucchero e mescolate con acqua tiepida.

Lasciate agire il lievito per 5-10 minuti (questo passaggio può essere omesso con lievito secco). Aggiungete il sale, l'acqua rimanente e l'olio vegetale e impastate il tutto fino a ottenere un impasto liscio.

Lavorate l'impasto su una superficie infarinata per altri 10 minuti finché non sarà elastico e non più appiccicoso. Formate una palla, mettetela in una ciotola leggermente unta, coprite e lasciate lievitare per 1 ora o fino al raddoppio del volume. Sgasate l'impasto su una superficie infarinata e dividerlo in 8-10 pezzi. Formate con ciascuna una palla, disponetela su una teglia foderata con carta da forno, coprite e lasciate riposare per altri 15-20 minuti. Preriscaldate il forno a 220 gradi Celsius. Tagliate i rotoli secondo necessità e infornate per 15-20 minuti, fino a doratura.

Sfornate e lasciate raffreddare su una gratella.

Mantou cinese

Ingredienti

500 g di farina di frumento

50 g di zucchero

1 cucchiaino di lievito in polvere

10 g di lievito secco

250 ml di acqua tiepida

Preparazione

In una ciotola sciogliete il lievito secco nell'acqua tiepida, aggiungete lo zucchero e mescolate bene fino al completo scioglimento dello zucchero. Lasciate riposare il composto per 5-10 minuti finché non diventa schiumoso.

In una ciotola capiente, setacciate la farina. Formate una fontana al centro e versateci il composto di lievito. Spingete con attenzione la farina dal bordo verso il centro, incorporando gradualmente il composto di lievito fino a formare un impasto. Lavorate l'impasto su una superficie infarinata fino a renderlo liscio. Rimettete nella ciotola, coprite con un canovaccio pulito e lasciate lievitare in un luogo tiepido fino al raddoppio del suo volume, circa 1-2 ore. Lavorate nuovamente l'impasto per eliminare le bolle d'aria e tagliatelo a metà. Formate con ciascuna metà dell'impasto un cilindro e tagliatelo a fette spesse circa 2 cm. Disponete ogni fetta su un pezzo quadrato di carta da forno e cuocete a vapore utilizzando una vaporiera o un cestello per la cottura a vapore per 15-20 minuti finché i mantou non saranno gonfi e sodi.

Servite caldo e gustatelo con salsa di soia o altre salse se lo desiderate.

Focaccine inglesi

Ingredienti

250 g di farina di frumento

50 g di zucchero

1 cucchiaio di lievito in polvere

½ cucchiaino di sale

115 g di burro vegano non salato, freddo e tagliato a cubetti

160 ml di latte vegetale

60 g di uvetta (facoltativa)

1 cucchiaino di estratto di vaniglia

Preparazione

Preriscaldate il forno a 220°C calore superiore/inferiore e rivestite una teglia con carta da forno.

Mescolate in una ciotola la farina, lo zucchero, il lievito e il sale.

Aggiungete il burro freddo al composto secco fino a formare delle briciole grossolane. Mescolate il latte vegetale e l'estratto di vaniglia in una ciotola separata.

Versate il composto di latte nella ciotola degli ingredienti secchi e mescolate delicatamente fino a ottenere un composto omogeneo. Opzionale: incorporate uvetta/ribes.

Lavorate brevemente l'impasto su una superficie infarinata e modellatelo in un cerchio spesso 2,5 cm. Ritagliate gli scones e disponeteli sulla teglia.

Cuocete per 12-15 minuti fino a doratura. Lasciate raffreddare su una griglia.

Focaccia turca

Ingredienti

500 g di farina di frumento

1 cubetto di lievito

1 cucchiaino di cumino nero (o sesamo)

1 pizzico di zucchero

200 ml di acqua tiepida

5 cucchiaini di olio d'oliva

1 cucchiaino di sale

Preparazione

Mettete la farina in una ciotola e fateci una fontana.

Sbriciolate il lievito, aggiungete lo zucchero e mescolate con 150 ml di acqua tiepida. Spolverate l'impasto con un po' di farina, copritelo con un canovaccio e lasciatelo lievitare in un luogo tiepido per 30 minuti.

Aggiungete poi la restante acqua, il sale e 3 cucchiai di olio e lavorate un impasto liscio. Spolverizzate di farina e lasciate riposare nuovamente l'impasto, coperto, in un luogo tiepido per 30 minuti.

Preriscaldate il forno a 180°C forno ventilato.

Lavorate nuovamente bene l'impasto, dividetelo in 2 porzioni e formate delle piadine allungate.

Usando le dita, fate delle scanalature longitudinali e trasversali nell'impasto e sollevate leggermente i bordi.

Spennellate le focacce con l'olio rimasto e spolverizzate con cumino nero. Lasciate riposare per 15 minuti. Disponete le focacce su una teglia foderata con carta da forno e lasciate cuocere per 25 minuti.

Pita greca

Ingredienti

350 g di farina di frumento

1 cucchiaino di zucchero

1 bustina di lievito secco

1 cucchiaino di sale

1 cucchiaio di olio d'oliva

225 ml di acqua tiepida

Preparazione

In una ciotola capiente, mescolate la farina di frumento con il sale.

In una ciotolina sciogliete il lievito secco e lo zucchero nell'acqua tiepida. Lasciate riposare finché non si formano le bolle, circa 5 minuti.

Aggiungete il composto di lievito alla farina e aggiungete l'olio d'oliva. Mescolare bene e ottenete un impasto liscio. Lavorate l'impasto su una superficie leggermente infarinata fino a renderlo elastico, circa 8-10 minuti.

Rimettete l'impasto nella ciotola, coprite con un canovaccio pulito e lasciate lievitare in un luogo caldo fino al raddoppio del suo volume, circa 1 ora. Lavorate nuovamente l'impasto su una superficie infarinata e dividetelo in 6 pezzi di impasto uguali.

Formate con ogni pezzo di impasto una palla e stendetela su una superficie infarinata in sfoglie sottili (circa 20 cm di diametro).

Preriscaldate una padella a fuoco medio. Cuocete le focacce pita singolarmente nella padella per circa 1-2 minuti per lato finché non iniziano a bollire e diventano leggermente dorate.

Mantieni calde le pita finite finché non saranno tutte cotte.

Dessert e dolci

Coccolate le vostre papille gustative con dessert paradisiaci e dolci prelibatezze a base di ingredienti puramente vegetali che addolciranno la vostra giornata con sapori delicati e piaceri appaganti!

Biscotti d'avena (Svezia)

Ingredienti (circa 30 biscotti)

120 g di fiocchi d'avena croccanti

100 g burro vegano

100 g di farina

½ cucchiaino di lievito in polvere

50 g di mandorle tritate

120 g zucchero

1 bustina di zucchero vanigliato

Preparazione

Preriscaldate il forno a 180°C forno ventilato.

Sciogliete il burro vegano per l'impasto.

Incorporate i fiocchi d'avena e lasciate raffreddare leggermente.

Aggiungete gli ingredienti rimanenti e impastate fino ad ottenere un impasto morbido.

Utilizzando due cucchiaini, disponete delle piccole porzioni su una teglia foderata con carta da forno e appiattitele leggermente.

Cuocete in forno per 15 minuti.

Waffle (Belgio)

Ingredienti (8 waffle)

500 ml latte di soia

500 g farina

1 bustina di zucchero vanigliato

1 bustina di lievito in polvere

6 cucchiai di zucchero

La scorza di una scorza di limone biologico

1 pizzico di sale

4 cucchiai di olio (di colza) per cuocere

Preparazione

Mescolate tutti gli ingredienti con una frusta fino a formare un impasto leggermente liquido.

Preriscaldate la piastra per waffle.

Una volta pronto, spennellate con olio e mettete circa 1 mestolo e 1/2 nella piastra per waffle.

Cuocete per 3 minuti e poi aprire con attenzione. Se notate che l'impasto si attacca leggermente alla piastra superiore, staccatelo delicatamente con un coltello.

Oliate nuovamente la piastra per waffle e versate il mestolo successivo.

Guarnite i waffle finiti come desiderate.

Crêpes (Francia)

Ingredienti (8 crêpes)

250 ml latte di soia

1 bustina di zucchero vanigliato

1 cucchiaio di sciroppo d'agave

2 cucchiai di olio vegetale per friggere

250 g farina

250 g di acqua minerale

1 pizzico di sale

Preparazione

Mescolate tutti gli ingredienti con una frusta fino a formare un impasto leggermente liquido.

Lasciate riposare l'impasto coperto per almeno un'ora.

Spennellate una padella con olio e scaldarla.

Versate nella padella mezzo mestolo di impasto.

Agitate la padella e distribuite uniformemente l'impasto.

Friggete le crêpes fino a doratura.

Riempite o completate a piacere.

Pancake americani

Ingredienti

150 g di farina
50 g di farina di soia
200 g yogurt di soia
100 ml latte di soia
1 bustina di lievito per dolci
2 cucchiai di sciroppo d'agave
1 pizzico di sale
3 cucchiai di olio di colza per friggere

Preparazione

Mescolate tutti gli ingredienti secchi in una ciotola.
Aggiungete gli ingredienti liquidi e mantecate.
Scaldate l'olio in una padella e versate 3 cucchiai di pastella.
Friggete le frittelle a fuoco medio fino a doratura su entrambi i lati.

Tartellette alle mandorle (Spagna)

Ingredienti (8 pezzi)

400 ml di latte di mandorla

100 g di mandorle tritate

200 g farina

150 g di zucchero

3 cucchiai di semi di lino

2 pizzichi di cannella

Burro vegano per ungere

200 g di mandorle tritate

90 g di burro di mandorle

130 g burro vegano

Scorza grattugiata di un'arancia

2 cucchiaini di succo d'arancia

1 pizzico di sale

Preparazione

Preriscaldate il forno a 180°C (forno ventilato).

Scaldate il latte di mandorla con i semi di ella in un pentolino e lasciatelo gonfiare per 10 minuti.

Aggiungete il burro di mandorle, il burro e la scorza d'arancia e scaldate.

Incorporate gradualmente gli ingredienti rimanenti.

Ungete gli stampini per tortine con il burro e stendetevi l'impasto.

Cuocete per 25 minuti. Usa una bacchetta per verificare se le tortine sono cotte.

Lasciate raffreddare le tortine finite.

Ciambelle americane al limone

Ingredienti (12 ciambelline)

200 g farina

150 g di sciroppo di mele

80 g di zucchero a velo

5 cucchiai di salsa di mele

1/2 cucchiaino di lievito in polvere

2 limoni biologici

100 ml di olio di colza per la cottura

250 ml latte di mandorle

120 g di mandorle grattugiate

2 cucchiai di burro vegano

1 bustina di zucchero vanigliato

1 pizzico di bicarbonato di sodio

1 pizzico di sale

Preparazione

Preriscaldate il forno a 180°C forno ventilato.

Ungete 12 – 16 stampini per ciambelle (il numero dipende dalla grandezza degli stampini) con il burro e disponeteli su una teglia. Grattugiate la scorza di limone e spremetene il succo. Mescolate in una ciotola la farina, le mandorle, il bicarbonato, il sale e il lievito. In una seconda ciotola, mescolate insieme la salsa di mele, lo sciroppo di mele, lo zucchero vanigliato, l'olio, il latte di mandorle, metà della scorza di limone e una buona metà del succo di limone. Mescolate lentamente il contenuto della seconda ciotola nella prima ciotola.

Dividete l'impasto negli stampini da ciambella e infornate per 25 minuti.

Mescolate lo zucchero a velo con il succo di limone rimasto e la scorza di limone e spennellate le ciambelle raffreddate.

Cous cous dolce (Nord Africa)

Ingredienti

400 g di cous cous, preparato secondo le istruzioni sulla confezione

8 datteri (snocciolati)   1 melagrana

5 cucchiai di uvetta   Acqua calda

4 cucchiai di scaglie di mandorle   3 cucchiai di burro vegano

3 cucchiai di succo d'arancia   4 cucchiaini di cannella

2 cucchiai di sciroppo d'agave   1 pizzico di sale

4 cucchiai di zucchero a velo per guarnire

Preparazione

Mettete l'uvetta in una ciotola e versateci sopra dell'acqua calda e lasciatela in ammollo.

Togliete i semi al melograno e tagliate i datteri in otto pezzi.

Tostate le scaglie di mandorle in una padella senza grassi fino a quando diventano dorate.

Incorporate il burro al cous cous finito.

Scolate l'uvetta e lasciatela scolare.

Mescolate tutti gli ingredienti, tranne lo zucchero a velo, con il cous cous.

Ponete in piccole ciotole preriscaldate e servite spolverate di zucchero a velo.

Crumble di frutti di bosco (Inghilterra)

Ingredienti

300 g frutti di bosco misti (es. fragole, lamponi, mirtilli)

60 g di farina di mandorle — 60 g di olio di cocco, sciolto

90 g di fiocchi d'avena — 1 cucchiaio di succo di limone

60 g di sciroppo d'acero o sciroppo d'agave

¼ di cucchiaino di cannella

pizzico di sale

Preparazione

Preriscaldate il forno a 180°C e ungete una pirofila.

Mettete i frutti di bosco nello stampo e mescolateli con il succo di limone e lo sciroppo d'acero.

In una ciotola separata, mescolate insieme l'avena, la farina di mandorle, l'olio di cocco fuso, la cannella e il sale fino a ottenere un composto friabile.

Cospargete uniformemente il composto sbriciolato sui frutti di bosco.

Cuocete il crumble ai frutti di bosco per circa 30 minuti, fino a quando i frutti di bosco saranno succosi e le briciole saranno dorate.

Togliete dal forno e lasciate raffreddare leggermente.

Servite il crumble ai frutti di bosco caldo o a temperatura ambiente e guarnite con yogurt vegano se lo desiderate.

Budino al cioccolato e chia (Australia)

Ingredienti

250 g latte vegetale (ad es. latte di mandorla o latte d'avena)
4 cucchiai di semi di chia
2 cucchiai di cacao in polvere
2 cucchiaini di sciroppo d'acero
1 cucchiaino di zucchero vanigliato
Condimenti a scelta (ad es. frutti di bosco, noci, scaglie di cocco)

Preparazione

In una ciotola, unite i semi di chia, il cacao in polvere, lo sciroppo d'acero e l'estratto di vaniglia.

Aggiungete il latte vegetale e mescolate bene per evitare la formazione di grumi.

Riponete il budino in frigorifero per almeno 2 ore o tutta la notte per permettere ai semi di chia di gonfiarsi e creare una consistenza simile al budino.

Quindi versare il budino al cioccolato e chia in bicchieri o ciotole e guarnite a piacere.

Servite il budino freddo.

Panna Cotta (Italia)

Ingredienti

600 ml di latte di cocco

4 cucchiai di cocco essiccato

1 bustina di budino alla vaniglia in polvere

2 cucchiaini di agar - agar

4 cucchiai di zucchero

Preparazione

Portate a ebollizione tutti gli ingredienti in una pentola mescolando.

Cuocete a fuoco medio per 2 minuti, mescolando.

Dividete la panna cotta nei bicchierini e ponetela in frigorifero per almeno 1 ora.

Brownies (Stati Uniti)

Ingredienti

150 g di farina

1 cucchiaino di lievito in polvere

200 g di zucchero

240 ml di latte di mandorle

1 cucchiaino di zucchero vanigliato

100 g cioccolato vegano (tritato o in gocce di cioccolato)

50 g di cacao in polvere

½ cucchiaino di sale

120 ml di olio di colza

Preparazione

Preriscaldate il forno a 180°C e foderate una teglia con carta da forno.

In una ciotola mescolate la farina, il cacao in polvere, il lievito e il sale.

In un'altra ciotola, mescolate bene lo zucchero, l'olio vegetale, il latte vegetale e l'estratto di vaniglia.

Aggiungete gli ingredienti secchi a quelli umidi e mescolate fino ad ottenere un impasto omogeneo. Incorporate all'impasto il cioccolato vegano tritato. Versate uniformemente l'impasto nella teglia preparata e livellatelo.

Cuocete i brownies nel forno preriscaldato per circa 25-30 minuti, finché uno stuzzicadenti non esce pulito (va bene qualche briciola umida).

Sfornate i brownies e lasciateli raffreddare completamente nello stampo prima di tagliarli a quadrotti.

Mousse al cioccolato (Francia)

Ingredienti

200 g di cioccolato fondente vegano

Scolare l'acqua "Aquafaba" da 2 barattoli di ceci

1 bustina di lievito per dolci

4 cucchiaini di zucchero a velo

2 pizzichi di sale

Preparazione

Sciogliere il cioccolato a bagnomaria.

Nel frattempo raccogliete il liquido di 2 barattoli di ceci e sbatteteli con il lievito.

Quando la crema sarà quasi pronta, aggiungete lo zucchero a velo e il sale.

Lasciate raffreddare il cioccolato finché non sarà tiepido.

Incorporate il cioccolato con una frusta.

Dividete la mousse nelle ciotole e mettetela in frigorifero per 30 minuti.

A proposito, può anche essere congelata facilmente.

Dulce de leche (Argentina)

Ingredienti

1 lattina (ca. 400 ml) di latte di cocco non zuccherato

200 g di zucchero di canna

1 cucchiaino di zucchero vanigliato

Preparazione

Mettete tutti gli ingredienti in una pentola.

Portate la miscela a ebollizione a fuoco medio e quindi riducete il fuoco.

Mescolando di tanto in tanto, fate sobbollire la miscela a fuoco basso finché non sarà densa e caramellata, circa 40 minuti.

Fate attenzione a non bruciare il composto e mescolate regolarmente.

Una volta raggiunta la consistenza desiderata, togliete la pentola dal fuoco e lasciate raffreddare.

Versate il dulce de leche raffreddato in un barattolo o contenitore ermetico e conservate in frigorifero.

Gelato al cioccolato (Italia)

Ingredienti

400 ml di latte di cocco (da una lattina)   200 ml di latte vegetale

150 g di zucchero   50 g di cacao amaro in polvere

1 cucchiaino di zucchero vanigliato   Un pizzico di sale

Opzionale: 50 g di cioccolato vegano (fuso)

Preparazione

Mescolate bene tutti gli ingredienti in una ciotola finché lo zucchero non sarà completamente sciolto.

Versate il composto in una ciotola o uno stampo poco profondo, adatto al congelatore.

Coprite la ciotola e riponete nel congelatore.

Ogni 30 minuti sgranate il gelato con una forchetta e mescolate per evitare la formazione di cristalli di ghiaccio. Ripetete questo processo circa 3-4 volte.

Facoltativo: durante il processo di congelamento, mescolate delicatamente il cioccolato vegano fuso nel gelato semicongelato per aggiungere le gocce di cioccolato.

Cassis al mirtillo – Lassi (India)

Ingredienti (6 bicchieri)

400 g di mirtilli congelati (mirtilli)

400 g di tofu setoso

60 ml di liquore al cassis (opzionale: sciroppo di ribes nero)

400 ml di acqua fredda

3 cucchiai di zucchero

3 cucchiai di succo di limone

1 pizzico di sale

Preparazione

Frullate tutti gli ingredienti in un frullatore o in una ciotola capiente con un frullatore a immersione.

Servite immediatamente o fate raffreddare e frullate nuovamente prima di servire.

Il lassi può essere conservato in frigorifero per un massimo di 2 giorni.

Popcorn con salsa al caramello (USA)

Ingredienti

50 g di popcorn mais

40 g di zucchero

1 cucchiaio di olio di colza

40 g di burro vegano

1 cucchiaio di sciroppo d'agave

70 g di anacardi (facoltativo)

Preparazione

Scaldare in un pentolino il burro, lo zucchero e lo sciroppo d'agave.

Cuocete a fuoco alto per 2 minuti, mescolando continuamente, quindi mettete da parte.

(Facoltativo) Arrostite gli anacardi in una padella a fuoco medio per 4 minuti, mescolando fino a doratura. Quindi posizionateli su un piatto.

Mettete i popcorn in una pentola con l'olio seguendo le istruzioni. Di tanto in tanto agitare la pentola e tenete saldamente il coperchio.

Versate la salsa al caramello sui popcorn e sugli anacardi e mescolate bene.

Disponete i popcorn su una teglia foderata con carta da forno, stendeteli e lasciateli raffreddare.

Servite solo quando saranno ben asciutti.

Disclaimer

L'implementazione di tutte le informazioni, istruzioni e strategie contenute in questo libro è a tuo rischio e pericolo. L'autore non può assumersi alcuna responsabilità per eventuali danni di qualsiasi tipo e per qualsiasi motivo legale. Sono generalmente escluse rivendicazioni di responsabilità nei confronti dell'autore per danni materiali o immateriali causati dall'utilizzo o dal mancato utilizzo delle informazioni o dall'utilizzo di informazioni errate e/o incomplete. Sono pertanto escluse eventuali pretese legali e richieste di risarcimento danni. Questo lavoro è stato preparato e scritto con la massima cura e al meglio delle nostre conoscenze e convinzioni. Tuttavia l'autore non si assume alcuna responsabilità per l'attualità, la completezza e la qualità delle informazioni. Errori di stampa e false informazioni non possono essere completamente esclusi. Nessuna responsabilità legale o responsabilità in qualsiasi forma può essere assunta per informazioni errate fornite dall'autore.

Stampa

© Lydia Solotova
2024

1° edizione

ISBN:9798876697981

Contatto:
Markus Mägerle, Am Kreisgraben 17, 93104 Riekofen , Germania

Printed in Poland
by Amazon Fulfillment
Poland Sp. z o.o., Wrocław
11 June 2024